ANTON DIABELLI

JUGENDFREUDEN

SECHS SONATINEN
FÜR KLAVIER ZU 4 HÄNDEN

IM UMFANG VON 5 TÖNEN BEI STILLSTEHENDER HAND

OPUS 163

NEU REVIDIERT VON

C. A. MARTIENSSEN

C. F. PETERS

FRANKFURT/M. · LEIPZIG · LONDON · NEW YORK

SONATINE I

Andante

Anton Diabelli, Op. 163 Nr. 1

SONATINE I

Anton Diabelli, Op.163 Nr.1

11047

4

Allegro moderato

11047

Allegro moderato

11047

Romanze
Andantino

11047

Romanze
Andantino

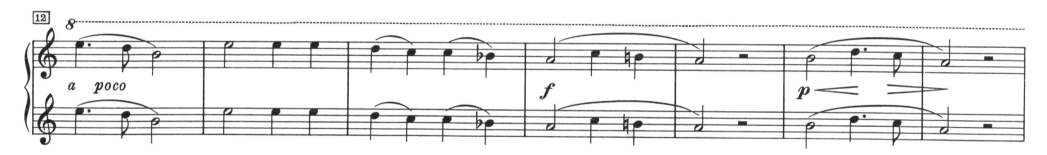

Edition Peters

Rondo
Allegro vivace

Rondo
Allegro vivace

11047

SONATINE II

Op.163 Nr. 2

11047

SONATINE II

Op.163 Nr. 2

14

Allegro moderato

11047

Allegro moderato

Andantino cantabile

Rondo
Allegro moderato

11047

Andantino cantabile

Rondo
Allegro moderato

11047

SONATINE III

Op. 163 Nr. 3

SONATINE III

Op. 163 Nr. 3

11047

Marcia funebre

Andante maestoso

11047

Marcia da capo

Marcia funebre
Andante maestoso

26

Polacca
Moderato

Polacca da capo senza
replica, e poi la coda

Polacca

Moderato

Trio

Coda

*Polacca da capo senza
replica, e poi la coda*

SONATINE IV

Op.163 Nr. 4

Allegro moderato

SONATINE IV

Op.163 Nr. 4

Allegro moderato

11047

11047

Andante cantabile

Andante cantabile

Rondo
Vivace

Rondo da capo senza
replica al fine

SONATINE V

Op. 163 Nr. 5

SONATINE V

Op. 163 Nr. 5

Andante maestoso

Allegro moderato

Andante cantabile

Rondo
Allegro

Andante cantabile

Rondo
Allegro

SONATINE VI

Op. 163 Nr. 6

11047

SONATINE VI

Op. 163 Nr. 6

11047

Edition Peters

Andantino

Rondo
Allegro

Rondo da capo senza replica al
fine, e poi la coda

Coda

Rondo
Allegro

Rondo da capo senza replica al fine, e poi la coda

Coda

Thematisches Verzeichnis